ВОЛШЕБНЫЕ СКАЗКИ МАЛЫШАМ

ООО «ИКД-Кредо»
2020

кредо

УДК 82-343
ББК 82.3(0)-442.06
В 69

В 69   Волшебные сказки малышам. — К.: «ИКД-Кредо», 2020. — 128 с., цв. ил.

ISBN 978-617-663-923-7
ISBN 978-617-663-034-0 — подар.

УДК 82-343
ББК 82.3(0)-442.06

ISBN 978-617-663-923-7
ISBN 978-617-663-034-0 — подар.

Літературно-художнє видання для дошкільного та молодшого шкільного віку

Серія «Улюблені казки»

ТОВ «ВКБ-КРЕДО»

Художнє оформлення: ТОВ «ВКБ-Кредо»
Редактор Д. Солошенко

www.kredo.net.ua

Реалізація: м. Київ, +38(044) 464-49-46,
zakaz@kredo.net.ua

Підписано до друку 26.02.20
Формат 84х108/16. Папір крейдяний.
Друк офсетний. Гарнітура «Прагматика».
Наклад: 2000 прим.

Термін придатності необмежений.

Виготовлено відповідно
до СОУ 18.1-02477019-11:2014 «Поліграфія.
Видання для дітей. Загальні технічні умови»

ТОВ «ВКБ-КРЕДО».
Україна, 04655, м. Київ, вул. Вербова, б.17.

Литературно-художественное издание для дошкольного и младшего школьного возраста

Серия «Любимые сказки»

ООО «ИКД-КРЕДО»

Художественное оформление: ООО «ИКД-Кредо»
Редактор Д. Солошенко

www.belfortuna.ru

Импортёр в ТС — ООО «Фортуна».
РФ, 308009, г. Белгород,
ул. Коммунальная, д. 2, офис 8.

Подписано в печать 26.02.20
Формат 84х108/16. Бумага мелованная.
Печать офсетная. Гарнитура «Прагматика».
Тираж: 2000 экз.

Срок годности не ограничен.

Соответствует требованиям ТР ТС 007/2011
«О безопасности продукции, предназначенной
для детей и подростков»

ООО «ИКД-КРЕДО».
Украина, 04655, г. Киев, ул. Вербовая, д.17.

Ганс Кристиан Андерсен

ГАДКИЙ УТЁНОК

Стояло жаркое лето. Солнце лило свои горячие лучи на поля и луга, и только в лопуховых зарослях было темно и прохладно, будто в густом лесу. Здесь, в гнезде, сидела на яйцах утка. Однажды утром яичная скорлупа затрещала, и на свет появились маленькие жёлтые утята. И только самое большое яйцо оставалось целым. Но вот наконец и оно треснуло.

— Пи-пи! — известил о своём появлении новый птенец, большой и уродливый.

«Какой огромный! И совсем не похож на остальных! Может, это индюшонок? Скоро посмотрим: войдёт ли он в воду?» — подумала мать-утка.

— Скорее за мной! — крякнула она и повела детей на птичий двор.

Ох-ох! Какой же возмущённый шум там поднялся:

— Ну вот, новая гурьба! Как будто нас и так мало!

Особенно невзлюбили обитатели птичьего двора странного утёнка, так непохожего на других: его нещадно клевали куры и щипали утки. Все насмехались над несчастным!

А индюк, считавший себя здешним императором, важно надулся, как корабль на всех парусах, налетел на утёнка и грозно залопотал:

— Прочь-прочь-прочь!

Несчастный не знал, куда деваться и как жить дальше, ведь даже родные братья и сёстры издевались над ним. Ну надо же было родиться таким отвратительным!

И однажды, не в силах больше терпеть насмешки и побои, он изо всех сил разбежался, перелетел через забор и бросился наутёк.

Долго бежал утёнок, пока не очутился на болоте, в густых камышах. Усталый и печальный, он просидел там до самого утра.

А на рассвете над камышами раздалось: «Пиф-паф!» И в небо поднялась целая стая испуганных диких гусей. Это охотники обступили болото со всех сторон, и отовсюду послышался лай охотничьих псов… Утёнок даже пожалел, что покинул птичий двор.

Страшно напуганный, он еле успел спрятать голову под кры-ло, когда вдруг прямо перед ним появился большой охотничий пёс, оскалил острые зубы, зарычал… и побежал дальше.

«Я так уродлив, что даже собаке противно укусить меня!» — горестно подумал бедный птенец.

Вечером шум затих, и утёнок решился выбраться из камышей. Он с трудом добрался до какого-то маленького домика, где хотел спрятаться от тёмной ночи и холодного ветра. Но здесь его встретили озлобленно: хозяйка даже не заметила, а курица и кот прогнали незваного гостя. Утром несчастный снова вернулся на озеро и спрятался в камышах.

А вскоре ударил сильный мороз, и озерцо начало затягиваться льдом. Утёнку приходилось беспрестанно плавать, чтобы не примёрзнуть ко льду. Но это всё-таки случилось.

К счастью, утром на озеро пришёл за водой какой-то крестьянин и подобрал замёрзшего птенца. Он понёс находку домой — на забаву своим детям. Утёнок испугался хозяев и попытался спрятаться, но, убегая, попал в миску с молоком, а потом в бочонок с маслом, а после — ещё и в короб с мукой.

Хозяева стали ругаться, дети захохотали. Хорошо, что дверь была открыта, и пленник успел выбежать во двор...

Тяжело далась ему эта суровая зима! Но вот запели жаворонки — значит, пришла весна! Утёнок взмахнул крыльями и... взлетел, сам удивляясь, каким сильным стал за это время. Он опустился на землю в большом парке на берегу озера. А по озеру легко и величаво плыли красавцы-лебеди.

«Наверное, они заклюют меня за то, что я, такой гадкий, осмелился к ним приблизиться!» — подумал утёнок и грустно опустил голову. Но что это он увидел в воде?

Да это же его отражение! Гадкий утёнок превратился в прекрасного лебедя!

Лебеди-родичи окружили новичка и почтительно склонили головы перед ним — они признали его самым красивым! Молодой лебедь застеснялся и спрятал голову под крыло. Он чувствовал себя несказанно счастливым, но ничуть не возгордился — ведь доброе сердце не знает гордыни.

ГУСИ-ЛЕБЕДИ

Жили-были муж с женой, и были у них дочка Машенька да сынок Иванушка. Однажды собрались мать с отцом в город и наказали дочке за братцем присматривать.

Только родители со двора уехали, как Машу подружки на улицу позвали. Позабыла она, что отец с матерью приказывали, заигралась с подружками и оставила Иванушку без присмотра.

Откуда ни возьмись, налетели на подворье гуси-лебеди, подхватили мальчика и унесли на крыльях далеко-далеко.

Бросилась Маша их догонять.

Долго бежала она по лесу, пока не увидала избушку на курьих ножках.

Смотрит Машенька в окошко: Баба-Яга кудель прядёт, а на лавочке сидит Иванушка, играется золотыми яблочками.

Девочка тихонько его окликнула, схватила на руки и побежала домой, а гуси полетели вдогонку.

Бежит девочка с братцем на руках и не знает, как ей спастись. Как вдруг перерезает им дорогу речка в кисельных берегах.

— Речка-матушка, спрячь нас, — попросила Маша.

— Отведайте моего киселика!

Выпили братик и сестричка киселя. Речка тут же укрыла детей под кисельным бережком, под густым камышом. А гуси пролетели мимо, не заметили.

Побежала Машенька дальше. А гуси-лебеди воротились, летят навстречу, вот-вот увидят. Что делать?

Видит Машенька: стоит на полянке яблоня.

— Яблонька-матушка, спрячь нас!

— Съешь моего лесного яблочка!

Съели детки по яблоку. Яблоня заслонила их ветвями, прикрыла листьями. Гуси мимо пролетели, не заметили.

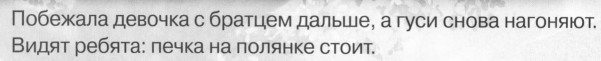

Побежала девочка с братцем дальше, а гуси снова нагоняют.
Видят ребята: печка на полянке стоит.

— Печка-матушка, спрячь нас!

— Съешьте моего ржаного пирожка!

Съели дети пирожок да скорей в запечье спрятались.

Гуси покружили-покричали да и улетели ни с чем. А Машень-ка с Иванушкой благополучно добрались до дому.

Жила-была на свете женщина, и не было у неё детей. А так хотелось иметь ребёнка! Пошла она к колдунье и взяла у неё волшебное зёрнышко. Посадила его в горшок, и вскоре вырос красивый цветок, похожий на тюльпан. Внутри его сидела девочка, и ростом она была всего-навсего с дюйм. Поэтому мама и назвала её Дюймовочкой. Они зажили дружно и счастливо.

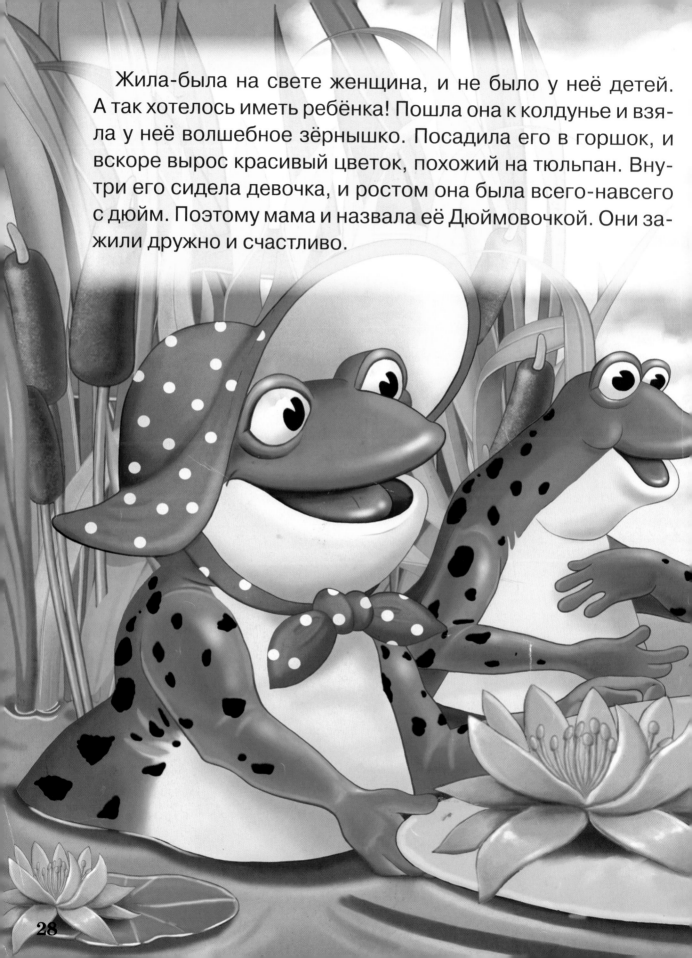

Однажды ночью, когда девочка спала в крошечной колыбельке, через окно в дом вскочила уродливая жаба. «Хорошая будет жена моему сыну», — подумала она и, подхватив кроватку с девочкой, поскакала к пруду. Там положила свою пленницу на лист кувшинки и поплыла искать сына. Рано утром малышка проснулась и заплакала:

— Где же это я?

Рыбки пожалели её, быстро перегрызли стебель, на котором держался лист, и девочка легко поплыла по течению прямо к лесу.

Нарядный яркий майский жук, пролетавший мимо, заметил маленькую красавицу. Он обнял её мохнатой лапкой и понёс на дерево. Там попотчевал гостью сладким нектаром и сказал, что она очаровательна. Но Дюймовочка совсем не понравилась остальным жукам, ведь она ничуть не была похожа на них. Поэтому незадачливый жених в тот же день отнёс её на землю и улетел прочь.

Целое лето прожила девочка одна-одинёшенька в огромном лесу. Но вот уже приближались холода. Все птицы, радо-

вавшие её звонким пением, улетели в тёплые края, и теперь только злой ветер свистел вокруг. Спасаясь от страшного холода, Дюймовочка покинула лес и пошла куда глаза глядят. Она долго брела опустевшим хлебным полем, едва передвигая ножки.

Под вечер девочка набрела на норку полевой мыши и тихо постучала в дверь.

— Заходи, заходи скорее! Погрейся и поужинай со мной! — гостеприимно распахнув дверь и пропуская гостью в дом, пропищала мышь: ведь она была доброй старушкой. Дюймовочка вошла в норку, согрелась и подкрепилась. Мышка пожалела девочку и оставила её у себя.

Как-то раз в гости к ним пожаловал крот. Увидев Дюймовочку, он решил посвататься к ней. Бедняжка не посмела отка-

зать и теперь должна была готовиться к свадьбе. Крот совсем недавно вырыл себе подземную пещеру и позволил будущей невесте гулять там. Девочка опечалилась: она бы с большей радостью погуляла под вольным небом на солнышке!

Приглашая Дюймовочку погостить в подземных лабиринтах, крот попросил не бояться мёртвой птицы, лежащей в одном из этих тёмных покоев.

И вправду, гуляя по мрачным коридорам, девочка увидела умершую ласточку и потом долго жалела бедную птичку, уже

неспособную подняться в небо... В ту ночь Дюймовочке не спалось. Она пробралась в пещеру к мёртвой птице и укрыла её тёплым одеялом.

Утром вернулась туда опять и увидела, что замёрзшая ласточка отогрелась и ожила.

— Я улетаю в тёплые края, ведь скоро придёт лютая зима, — сказала птица. — Летим со мной, милая крошка!

Дюймовочка обрадовалась: ведь ей так не хотелось становиться женой гадкого крота и вечно прятаться от солнышка! Она села ласточке на спину и привязала себя пояском к большому перу. Птица стрелой взвилась в небо и полетела высоко-высоко — над лесами и озёрами.

Вот и юг! Опустившись на землю, ласточка посадила девочку на пышный цветок. Какое чудо! На донышке цветка сидел хорошенький маленький мальчик, чуть больше Дюймовочки.

На голове у него сияла золотая корона, а за плечами трепетали прозрачные крылышки.

Это был король эльфов, и ему очень понравилась миленькая гостья. Он попросил девочку стать его женой, и Дюймовочка радостно согласилась. Эльфы подарили ей пару блестящих крылышек, и теперь она тоже могла порхать с цветка на цветок и жить беззаботно, забыв о прошлых тяжких невзгодах.

КОТ И ПЕТУХ

Жили-были два друга — Котик и Петушок. Весело им жилось — ни печали, ни ссоры, ни обиды. Котик, бывало, каждый день на скрипке играет, а Петушок песенки поёт. По утрам Котик на рыбалку уходил, а дружку строго наказывал:

— Никого за порог не пускай и сам не выходи, кто бы тебя ни звал!

— Ладно, ладно, — отвечал Петушок и сидел послушно дома, пока друг не вернётся.

Заметила Петушка Лисица и надумала его выманить из дому да украсть. Дождётся, пока Кот из дому уйдёт, сядет под окошко и приговаривает:

— Петя-Петушок, золотой гребешок! Выгляни в окошко, дам тебе горошка!

А он кудахчет в ответ:

— То-ток! То-ток! Не велел Коток!

Видит рыжая, что не поддаётся он на уговоры. Решила хитростью взять. Рассыпала под окошком мешок пшеницы, а сама в кустах спряталась. Приоткрыл Петушок оконце, вокруг огляделся. Никого не видно, а у самого порога пшеничные зёрна рассыпаны, крупные да спелые. Сказал он сам себе:

— Сбегаю, зёрнышек поклюю! Никто не заметит!

Только Петя за порог вышел, как Лиса его в охапку схватила и понесла через лес к себе в нору. Заплакал он, закричал:

— Несёт меня Лиса
За тёмные леса,
За поле, за лужок!
Спаси меня, дружок!

Услыхал Котик, бросился вдогонку. Да Лисы уж и след простыл. Вернулся он домой, от горя сам не свой. Посидел, подумал, взял скрипку, надел через плечо торбу писаную и пошёл через лес к лисьей норе.

А у Лисы пятеро лисят было — четыре дочки и один сынок. Собралась она на охоту, а детям наказала:

— Глядите, никого за порог не пускайте!

И побежала себе уток да кур ловить. А Котик меж тем подошёл к её порогу, сел под окошко, на скрипке заиграл и запел:

— Ой, у Лиски новый двор!
Детки все как на подбор —
Красавицы-дочки
С удалым сыночком!
Выйди, Лиска, на порог,
Гостю поднеси пирог!

Не вытерпела старшая дочка и говорит меньшим:

— Выйду-ка погляжу, что за гость голосистый к нам пожаловал!

Только порог переступила, а Котик её — цок в лобок да в писаную торбу! А сам снова заиграл-запел:

— Ой, у Лиски новый двор!
Детки все как на подбор —
Красавицы-дочки
С удалым сыночком!
Выйди, Лиска, на порог,
Гостю поднеси пирог!

Не выдержала и вторая дочка, тоже на порог выскочила на гостя дивного поглядеть. А Котик и её — цок в лобок да в писаную торбу! Так всех четырёх и выманил.

Брат сестричек ждёт-пождёт — не возвращаются.

— Пойду, — говорит, — назад их приведу, а то мать разгневается.

И выбежал следом. Схватил его Котик в острые когти. Цок в лобок да в писаную торбу! А потом повесил ту торбу на сухой вербе, Петушка из лисьей норы вывел и домой повёл.

С той поры Петушок всегда старшего товарища слушался.

КОЛОСОК

Жили-были два мышонка — Круть и Верть. А с ними — их дружок, петушок Голосистое Горлышко. Мышата, бывало, только и делают, что гуляют, поют и пляшут. А петушок до рассвета встанет, всё село звонкой песенкой разбудит и за работу берётся.

Как-то раз подметал он двор и подобрал на земле пшеничный колосок.

— Круть! Верть! — позвал он друзей. — Поглядите-ка, что я нашёл!

Прибежали мышата, глазёнки вытаращили.

— Кабы его обмолотить... — говорят.

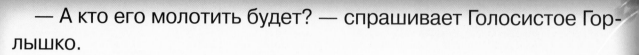

— А кто его молотить будет? — спрашивает Голосистое Горлышко.

— Не я! — отмахивается Круть.

— И не я! — отнекивается Верть.

— Я его обмолочу, — говорит петушок.

Намолотил он зерна полный корец и домой несёт. Встречают мышата друга, на спелое зернецо глазёнки таращат.

— Вот бы его на мельнице перемолоть!

— А кто его на мельницу понесёт? — спрашивает петушок.

— Не я! — отмахивается Круть.

— И не я! — отнекивается Верть.

— Придётся мне нести, — говорит Голосистое Горлышко. И потащил зерно к ближнему ветряку.

А мышата дальше играют-забавляются, друга дожидаются. Пришёл он с мельницы с полным мешочком муки.

— А кто теперь, — спрашивает у друзей, — тесто замесит и пирожков напечёт?

— Не я! — отмахивается Круть.

— И не я! — отнекивается Верть.

— Видать, опять мне придётся, — вздыхает петушок.

Наколол он дров, растопил печь, тесто замесил и в печку посадил. Напёк пирожков полную миску и на стол поставил. Почуяли мышата вкусный аромат, мигом к столу примчались.

— Ох и проголодался я! — пищит Круть.
— Ничего, сейчас всласть наедимся! — утешает братца Верть.
Садятся за стол и лапки к пирожкам тянут.

А петушок — раз! И миску в сторону отставил!

— Погодите! — говорит. — Кто колосок нашёл?

— Ты, — отвечают братцы.

— А кто его обмолотил, муки намолол, тесто замесил, пирогов напёк?

— Ты.

— А вы-то что делали?

Насупились мышата, из-за стола встали, прочь побрели. А петушок их и не держит: нечего лодырей задаром кормить!

КУРОЧКА РЯБА

Жили-были дед и баба, и была у них курочка Ряба. Снесла курочка яйцо. Да не простое, а золотое.

Дед его бил-бил, да не разбил.
Баба его била-била, да не раз-
била.

Мышка бежала, хвостиком мах-
нула, яичко упало и разбилось.

Дед плачет, баба плачет, а курочка кудахчет: «Не плачь, дед! Не плачь, баба! Я снесу
вам новое яйцо, да не золотое, а простое».

МАША И МЕДВЕДЬ

Жили-были дедушка и бабушка, и была у них внучка Маша. Как-то раз позвали её подружки с собой в лес — собирать грибы да ягоды.

Дед с бабкой ей наказывают:

— Гляди, Машенька, от подружек не отставай, а то заблудишься!

Пришли девочки в лес. Боровички собирают, малинку срывают. И Маша с ними вместе. Да так увлеклась, что и не заметила, как от подруг отстала. Стала она их окликать, да всё зазря.

Долго блуждала девочка по тёмному лесу, пока не набрела на какую-то избушку. Постучала в дверь, да никто не отозвался. Переступила порог, огляделась.

Пусто внутри, ни одной живой души. Взялась девочка в избёнке порядок наводить, подметать да мыть. А тут и хозяин вернулся — медведь косолапый. Увидал, как гостья у него по дому хлопочет, и обрадовался:

— Теперь уже тебя отсюда не выпущу. Будешь у меня в избе убирать да стряпать. А убегать даже не думай — поймаю и съем!

Затужила Маша, да ничего не поделаешь. Придётся у медведя в работницах жить!

Возвращается однажды медведь из лесу, а Маша его просит:

— Отпусти меня на один вечерок к дедушке с бабушкой! Хоть увижусь с ними да гостинцев отнесу — пирожков сладких!

— Нет! — рычит косолапый. — Лучше уж я сам к ним схожу и от тебя привет передам.

Согласилась Машенька. Насыпала пирожков полон короб и говорит:

— Неси осторожненько да по дороге короб не открывай! Я на самую высокую сосну влезу и за тобой присматривать буду!.. Погляди в окошко: не идёт ли дождик?

Пока медведь в окно смотрел, она в короб запрыгнула и блюдо с пирогами себе на голову поставила — спряталась. Медведь ничего и не заметил. Короб на спину забросил и понёс в село.

Долго шёл, притомился и говорит сам себе:

— Сяду на пенёк, съем пирожок!

А Маша из-за спины отзывается:

— Высоко сижу, далеко гляжу! Не садись на пенёк, не ешь пирожок! Неси дедушке, неси бабушке!

— Ишь, хитрая какая! — удивляется медведь. — И ведь заметила меня, и услыхала!

Шагает он меж дубками, бредёт между кустами... Тяжело идти, да и далече! Опять молвит сам себе:

— Сяду на пенёк, съем пирожок!

И снова голосок девичий откуда-то отзывается:

— Вижу, всё вижу! Высоко сижу, далеко гляжу! Не садись на пенёк, не ешь пирожок! Неси дедушке, неси бабушке!

— Ты гляди, какая! — ещё пуще дивится косолапый. — И откуда она меня видит?

Взваливает короб тяжёлый на плечи и дальше идёт. Так и не довелось ему пирожка отведать. Вот уже и село перед ним, и Машина изба. Подошёл к ней, лапой в ворота постучал:

— Скорей отворяйте, от внучки гостинцы принимайте!

Почуяли медведя собаки, залаяли и кинулись на него. Бросил он короб на землю да и был таков.

Дедушка с бабушкой за ворота вышли, короб увидали, удивились. Подняли крышку, а там их внучка сидит, жива-здорова! Обрадовались они. Стали Машу обнимать да умницей называть. Всё село ей удивлялось: такая маленькая, а громадного медведя вокруг пальца обвела!

Ганс Кристиан Андерсен

ПРИНЦЕССА НА ГОРОШИНЕ

Жил-был один принц, и хотелось ему жениться на принцессе, но только на самой настоящей.

Он объездил весь свет, чтобы найти себе невесту, да так и не нашёл.

Принцесс было сколько угодно, но как узнать, настоящие ли они? Всем им чего-нибудь не хватало. И королевич вернулся

домой огорчённый — очень уж хотелось ему поскорее сыграть свадьбу!

Однажды вечером разыгралась непогода: гремел гром, сверкала молния, дождь лил как из ведра. Вдруг кто-то постучался

в замковые ворота, и старый король пошёл отпирать. За воротами стояла девушка. Но, Боже, в каком она была виде! Потоки дождевой воды стекали по её волосам и платью на носки туфель и вытекали из-под каблуков. И эта замарашка ещё уверяла, что она — настоящая принцесса!

«Ну уж это мы проверим», — подумала старая королева, но ничего не сказала и пошла в спальню. Там она сбросила с кровати одеяло и простыни и положила на голые доски горошину. Потом прикрыла эту горошину двенадцатью тюфяками, а поверх тюфяков набросала ещё двенадцать перинок из гагачьего пуха.

На эту кровать уложили гостью, и там она проспала всю ночь.

Утром спросили, как она почивала.

— Ах, очень плохо! — ответила принцесса. — Я почти целую ночь напролёт глаз не сомкнула. Один Бог знает, что такое мне попало в постель. Я лежала на чём-то твёрдом, и теперь у меня всё тело в синяках. Это просто ужасно!

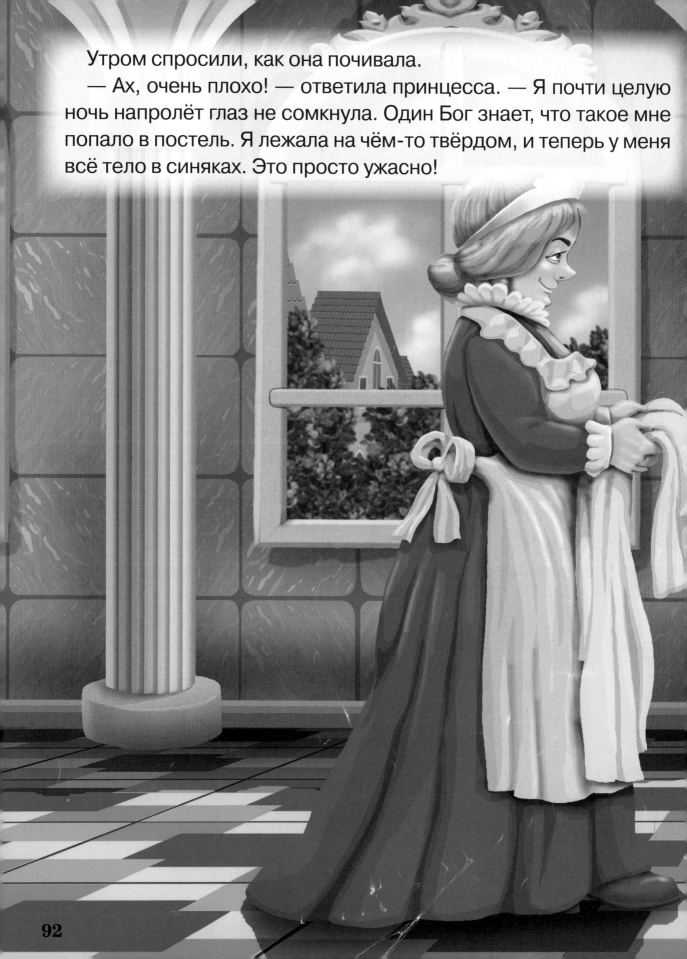

Теперь-то ей все поверили. Ведь она лежала на двенадцати тюфяках и двенадцати перинах, а всё-таки почувствовала под ними горошину. Столь чувствительной могла быть только королевская дочь!

И принц женился на ней — теперь-то он не сомневался, что нашёл настоящую принцессу. Искал своё счастье по всему свету, а оно само к нему пришло!

СОЛОМЕННЫЙ БЫЧОК

Жили-были дед и бабка. Дед в лесу смолу выкуривал, а бабка пряжу пряла.

И были они такими бедными, что едва концы с концами сводили. Стали думать-гадать, как беду преодолеть. Старуха и надумала:

— Смастери, дед, соломенного бычка да осмоли его, а я уж позабочусь, чтобы твой труд даром не пропал.

Посмеялся дед, но соломенного бычка скрутил и смолою покрыл. А утром старуха повела бычка пастись. Села на пригорке и задремала. Тут из леса медведь выбежал.

Увидел бычка и прямо к нему бросился:

— Что ты за зверь диковинный? Раньше я такого в наших краях не видывал!

А бычок ему и говорит:

— Я бычок-третьячок, из соломы сделанный, смолой засмоленный.

— Так одолжи и мне смолки — ободранный бок залатать!

Ухватил бычка за бок — и завяз в смоле! И так и сяк дёргается — рычит, злится, а вырваться не может. Так и носится с бычком по полянке! Старуха проснулась, увидела зверя и побежала домой.

А бычок с медведем — следом за ней! Подбегает баба к хате и кричит деду:

— Наш бычок медведя привёл! Иди, встреть его!

Старик из хаты выскочил, зверя обухом ударил и в погреб бросил.

Наутро снова старуха погнала бычка на выпас. Села на пригорке и задремала.

А из леса волк выбежал, и его тоже любопытство одолело:

— Ты кто? Отродясь такого зверя не видывал!

А бычок ему в ответ:

— Я бычок-третячок, из соломы сделанный, смолою засмоленный.

Волк тоже захотел смолы добыть. Только ухватил бычка за бок, как сразу прилип.

Бабка проснулась и домой с бычком и волком побежала. Дед навстречу вышел, волка схватил и в погребе запер.

В третий раз погнала старуха бычка на пастбище. Под пригорком села и заснула. А тут лиса из леса бежит. Увидела бычка и спрашивает:

— Ты кто такой будешь? Раньше я тебя в наших краях не видела!

— Я бычок-третячок, из соломы сделанный, смолою засмоленный.

— Так дай и мне смолки. Видишь, как мне собаки бок ободрали!

— Бери, коли сможешь!

Ухватилась рыжая за смоляной бок и тоже увязла. Бегает с бычком по полянке, да никак не вырвется!

С этой злодейкой бабка и сама справилась. Домой её притащила и в погреб кинула, а дед встал возле входа и начал ножи точить.

— Ты зачем ножи точишь? — спрашивает у него медведь.

— Сошью из ваших шкур шубы и шапки, — отвечает старик.

Испугались звери, и давай просить-молить хозяина, чтоб отпустил их. За это медведь пообещал бочонок мёда прикатить, волк — отару овец пригнать, а лиса — тучу птицы нанести.

Поверили зверям дед с бабкой и выпустили их из погреба.

Проснулись утром и видят: катит медведь во двор огромную бочку мёда. А вскоре и волк пригнал отару овец. А там и лисичка подоспела с курами и гусями. Радуются старики — теперь у них полный двор отборной скотины и птицы!

Стали они умело хозяйничать, но и про нужду не забывали: бедного встретят — угостят и обогреют.

Жили-были три весёлых братца-поросёнка. Весело им жилось и привольно, пока осень не настала и по лесу холодом не повеяло.

— Надо бы нам жилище построить — большой, крепкий кирпичный дом с прочной дубовой дверью. Тогда нам и зима холодная не будет

страшна, и хищный зверь до нас не доберётся, — решил самый старший поросёнок, Умник.

— Эге, такой домище долго придётся строить! Тяжёлая это работа и скучная, — возразил ему средний братик, Весельчак. — Зима ещё неизвестно когда придёт, хищников злых поблизости тоже не видно. Так зачем же нам зря стараться? У меня мысль получше: смастерю себе избушку из веток и досок — и быстрее выйдет, и легче!

— А я ещё скорее выстрою себе жильё — из соломы! — похвалился третий из братьев, Озорник.

И все трое взялись за работу. Озорник управился уже к вечеру и гордо поглядывал на свой соломенный домик и на братьев, ещё не закончивших строительство.

А через день уже стояла рядом избушка Весельчака — из веток и досок.

А Умник всё ещё трудился возле своих каменных хором и закончил работу аж через три недели.

И надо же было такому случиться, чтобы в тот же день забрёл на лесную полянку голодный волк. Он вышел из чащи, огляделся, увидел соломенную избушку Озорника и направился к ней.

— Вкусно пахнет поросятинкой! — зарычал сер[ый]
выходи, кабанчик, а то худо будет!

— Ни за что! — пропищал Озорник.

— Ну, тогда я сам до тебя доберусь! — крикнул во[лк]
было силы дунул на соломенный домик. Развалили[сь]
Озорник поскорее выбрался из-под руин и помчал[ся]
ке среднего брата. Весельчак едва успел впустить [его]
крепко захлопнуть дверь. А волк уже стоял у порога [и]
выл:

— Вот и полакомлюсь теперь сразу двумя порос[ятами]
открывайте дверь, не злите меня!

Поросята хоть и дрожали от страха, но не

к глубоко вдохнул и дунул на деревянные стены. Из-
галась, но устояла.

ещё раз набрал воздуха в грудь и снова дунул. И
омик. Оба поросёнка быстро выбрались из-под об-
осились наутёк — к дому старшего брата. Волк по-
гонку за добычей. Едва успели бедняжки спрятать-
ю кирпичного домика, как серый уже был у крыльца
ёлкал зубами:

— Вот теперь все трое в ловушке! Не упирайтесь понапрасну, откройте дверь по-хорошему! Ведь всё равно всех проглочу!

— А ну, попробуй! — спокойно ответил Умник.

Волк разозлился и стал дуть на кирпичные стены — раз, второй, третий! Но от этого даже самый маленький камешек

не шелохнулся. Тогда разбойник полез на крышу, чтобы пробраться внутрь через трубу.

Озорник и Весельчак, едва услыхав страшный волчий голос, в испуге задрожали и спрятались под кровать, с удивлением поглядывая на старшего брата. Неужели ему не страшно?

Умник, заслышав волчьи шаги на крыше, растопил печь и стал спокойно ждать вражеского нападения. Волк прыгнул в трубу, надеясь, что добыча уже близко. С размаху он плюхнулся в самое пламя! Завыл злодей от боли и вылетел через трубу назад, будто пробка из бутылки. Боязливо озираясь на эту страшную каменную крепость, он кинулся

назад, в тёмную чащу, и уже больше никогда не показывался на полянке.

А обрадованные поросята пели, танцевали и благодарили старшего брата за то, что научил их не бояться беды и защищаться от неё.

ХРОМАЯ УТОЧКА

Жили-были дед и бабка, бедные да одинокие — ни детей, ни внуков. Самим приходилось по хозяйству хлопотать, забывая про немощь старческую. А годы дают себя знать: и ноги еле ходят, и спина еле сгибается.

Как-то раз пошли они в лес: дед — за хворостом, а бабка — за грибами. Хоть и кряхтят да стонут, а всё-таки дело делают. Старик сухие ветки в вязанки вяжет, а старуха опята собирает да в корзинку складывает.

Вдруг видят: под кустом — птичье гнёздышко. А на нём молодая уточка сидит — в таких пёстрых да ярких перьях, что и не наглядишься! Залюбовались ею старики. А она смотрит на них испуганно. Рада бы утечь, да не может: крыло подбито и лапка сломана. Пожалели её дед с бабкой. Оставили они и хворост, и грибы, уложили птицу в корзинку вместе с гнездом и домой принесли. Дома в уголок посадили, глядят и не наглядятся.

А в хате хоть шаром покати: и печь не топлена, и еды ни крошки. Вздохнули они печально и опять в лес поковыляли — работу доделывать. Возвращаются домой усталые. Да всё тревожатся: «Как там наша уточка? Жива ли?»

Только в ворота вошли, так и ахнули! Двор чисто подметён, огород выполот, хата побелена! Хлев был пуст, а теперь в нём сытой скотины полным-полно! И в хате повсюду чисто прибрано, хлеб свежий испечён, обед вкусный приготовлен! А на лавке, на рушнике вышитом, полный кошель серебра лежит!

Стоят они да дивятся, не знают, что и подумать. Мало-помалу опомнились, сели за стол да в первый раз за много лет вкусно пообедали. А всё же покоя им не даёт чудо чудное: кто это у них дома хозяйничает?

Сказал тогда дед:

— А пойдём-ка, жена, к соседям в гости! Может, они видали нашего благодетеля дивного?

Говорит громко, а сам хитро подмигивает. Поняла его бабка. Вышли они из хаты и будто бы к соседям направились. А на самом деле с тропинки свернули да в кустах у двора спрятались.

Вдруг калитка скрипнула. Видят: выходит из ворот девушка-красавица с коромыслом на плече. Всем хороша, только хромает слегка. Пошла она к колодцу, стала воду набирать. А хозяева переглянулись и в хату кинулись. Схватили утиное гнездо да в печь бросили. Теперь-то она в облик птичий не вернётся, навсегда девицей останется. Будет им вместо дочери!

А девушка как раз назад вернулась. Как увидала, что гнёздышко её в печи догорает, так и вёдра на пол бросила. Упала на лавку, горькими слезами залилась!

— Что ж вы, — кричит, — наделали?! Я ведь не птица и не девица, а счастья посланница. Не сижу я на месте, а по всему свету странствую, всем людям радость несу! Думала вам помочь немного, достаток да уют подарить! А вы хотели меня навсегда у себя удержать! Не будет же по-вашему!

И обернулась она снова птицей. Да не уточкой, а чёрной ласточкой. Молнией по хате метнулась и прочь улетела. А с нею будто и счастье из дому ушло: как прежде, пусто на подворье, холодно в ободранной хате, от былой радости и следа нет. Вот таков-то урок всем, кто хочет счастье лишь около себя держать да с другими им не делится!

СОДЕРЖАНИЕ

Ганс Кристиан Андерсен
Гадкий утёнок **3**

Гуси-лебеди **15**

Ганс Кристиан Андерсен
Дюймовочка **27**

Кот и Петух **39**

Колосок **51**

Курочка Ряба **63**

Маша и медведь **73**

Ганс Кристиан Андерсен
Принцесса на горошине **85**

Соломенный бычок **97**

Три поросёнка **109**

. . .мая уточка **119**